B

B

당신의 교육철학을
한 권의 책에 담아 드립니다

비사이드 북스

X

교육실천이음연구소

나의 교사 분투기
: 환상 생존 성장

이상수

차례

글쓴이

교사에 대한 환상을 극복하고

|

이상수

교사에 대한 환상을 극복하고 겨우 생존했다. 느지막하게 성장의 길을 찾아 동료들과 함께 교육실천이음연구소를 설립하여 운영하고 있다. 교사는 교육에 관한 이야기를 만드는 사람이라고 여기며, 교사들의 이야기에 귀를 기울이고 있다. 함께 이끌기 활동가, 당교한책 진행자로 활동하고 있다.

chinajo@naver.com

B

저자인 나와, 독자인 나는 시간을 두고 조금씩 달라집니다. 온전한 나를 소개하는 문장을 찾을 때까지 나에 대한 소개는 수시로 다시 쓰여져야 합니다. 그 부지런한 이해로 당신은 더욱 당신다워질 겁니다.

글쓴이

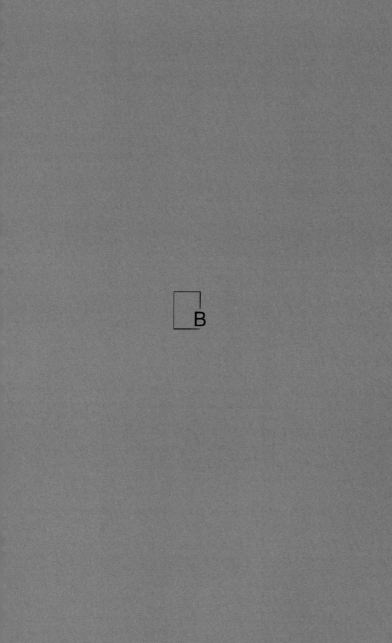

나를 이루어 온 경험은
무엇인가요?

성장과정과 학생 시절의 경험, 특히
교직을 택한 경험을 되돌아봅니다.
자신이 의미를 두는 경험에서 얻은
성찰과 역량을 발견합니다.
그리고 그것이 어떻게 어우러져
지금의 나를 형성해왔는지
인식합니다.

호기심은 내 삶의 힘

대화한 날_ 2023. 10. 11.

완성한 날_ 2023. 11. 25.

호기심은 내 삶의 힘

나는 어디로부터 왔는가

베브 콜만의 시 [나는 어디로부터 왔는가]를 읽으니 내 존재는 어디에서 왔을지 궁금했다. 나의 살과 뼈, 정신을 무엇으로 이루어졌을까? 직관적으로 떠오르는 단어는 '호기심'과 '모험심'이다. 나를 행동하게 하는 동력의 팔 할 이상은 호기심이다. 아는 것을 실천하기보다는 먼저 행동하면서 배우는 편이다. 궁금한 것은 참지 못하고, 해보고 싶은 것은 꼭 해야 한다. 그래서 실수도 잦았고, 손해 볼 때가 많다. 나이를 먹으면서 많은 부분 다듬어졌지만 원래 성향이 그렇다는 말이다. "해보지 않고 후회하기보다는 멋지게 도전하자!"라는 모토로 살아왔다. 나를 이루고 있는 대표적인 몇 가지 경험을 베브 콜만의 시를 참조해서 정리해 본다.

혼자 등교하던 떨림

초등학교 입학 후, 이튿날부터 혼자 등교하던 1학년 때의 떨림으로부터 왔다. 혼자 학교까지 잘 갈 수 있을까. 어머니는 나를 강하게 키우셨다. 입학 첫날, 어머니께서 말씀하셨다.

"오늘은 엄마랑 같이 학교로 가지만 잘 기억해 두렴. 내일부터 혼자 가야 하니까."

호기심은 내 삶의 힘

집 앞 골목 오른쪽으로 돌아나가 큰길을 건너고, 몇 번의 골목길을 지나 문방구를 오른쪽으로 끼고 돌면 성지국민학교 교문이 보였다. 그때 얼마나 안심이 되던지. 나중에 안 일이지만 다음날 어머니는 내가 눈치채지 못하게 잘 가는지 뒤를 따라갔었다고 말씀하셨다. 까만 교복에 똑딱이 단추로 단 하얀 카라. 카라 왼쪽에는 학교 배지. 교복 왼쪽 가슴쯤에 초록 바탕의 이름표. 내 생애 교복은 초등학교 1학년 때가 처음이자 마지막이었지 싶다.

비장함

한겨울에 가족 모두 감기에 걸려 가족을 대표하여 십리 길을 걸어, 면 소재지에 약을 사러 갔던 아홉 살 남자아이의 비장함으로부터 왔다. 어머니는 말씀하셨다.

"엄마도, 아빠도 감기에 걸려서 몹시 아프고 동생은 어리니 상수, 니가 면에 있는 약국에서 감기약을 사 와야 해. 할 수 있겠니? "네 엄마, 걱정하지 마셔요." 나는 자신 있게 대답했다.

어머니는 도톰한 회색 점퍼 모자 끈을 꽉 잡아 당겨 메어주시고 제법 큰 돈을 조막손에 쥐여주셨다. 나는 임무를 띠고 전쟁에 나가는 군인처럼 면 소재지를 향해 출발했다. 둑 아랫길을 따라 걷다가 큰 다리를 건너려 언덕배기로 올라갈 때, 몸을 가누기도 힘들 정도로 세찬 바람이 불었다. 몸을 기울여 바람을 맞서며 걸었다. 동그란 얼굴 볼살은 빨개졌고 손등은 부르터서 깨알 같은 검은 점들이 박혀있었다.

뜨거운 눈물

여름성경학교 셋째 날 저녁, 캠프파이어를 하던 열 살 소년의 뜨거운 눈물로부터 왔다. 자신의 부끄러운 죄를 종이에 모두 적어 불에 태우면 예수님께서 용서해 주신다던 윤춘자 전도사님의 목소리는 아직도 선명하다. 그녀는 어릴 때 장티푸스를 앓아서서 얼굴에 곰보 자국이 남았지만 나에게 무한한 신뢰와 인정을 주셨던 스승이셨다. 평생을 독신으로 지내시면서 전도사로서 복음을 전하셨다.

호기심은 내 삶의 힘

모험심 강한 개구쟁이

동네에 있던 솜공장 하적장에 산처럼 쌓여 있던 솜 무더기를 기지 삼아 구석구석 다니며 친구들과 놀던 개구쟁이에게서 왔다. 그 솜 무더기는 커다란 옅은 노란색 포대기에 담겨 있었고 4~5층으로 쌓여 있었다. 가장 위쪽에는 비에 맞지 말라고 파란색 비닐 포장으로 덮여 있었고, 가장자리에는 밧줄로 묶어 고정되어 있었다. 몸이 작은 동네 아이들은 솜 무더기와 무더기 사이 좁은 틈으로 기어다녔다. 폴리에스터 합성 솜의 코를 찌르는 화학약품 냄새를 맡으며 묘한 편안함을 느꼈다.

로빈후드의 모험

국민학교 4학년 때 학급문고 책으로 샀던 로빈후드의 모험으로부터 왔다. 담임 선생님께서 학급문고를 만들기 위해 책 한 권을 가져오라고 하셨다. 집에 마땅한 책이 없어서 서점에서 처음 산 책이 로빈후드의 모험이었다. 흥미진진했다. 불의

한 잉글랜드 왕에 맞서 용감하게 싸웠던 로빈후드의 행동이 멋있어 보였다. 활을 잘 쏘았고 작전을 잘 세웠다.

작은 불꽃들의 초대 월보

중학교 3학년 때 교회에서 학생회 활동을 하면서 '작은 불꽃들의 초대'라는 월보를 매월 발간했다. 부회장으로서 친구들과 역할을 정해 글을 쓰던 경험으로부터 왔다. 아무것도 아닌 일로도 끊임없이 재잘거리고, 두근거리던 이제막 자의식이 생겨서 자신이 마치 신문사의 편집장이라도된 것처럼 의심하고, 비판하고, 미래를 꿈꾸었다. 그땐 여닐 곱 명이 우르르 몰려다니곤 했다. 몇 시간을 노래 부르고, 이야기하고, 장난을 쳐도 더 함께 있고 싶어 했다. 어찌나 함께 있고 싶었던지 한 달에 몇 번은 꼭 친구 집에서 밤새며 말도 안 되는 이야기를 나누곤 했다. 그렇게 고등학생 때까지 그 친구들과 함께했다.

어느 여자 선배의 억울함

1989년 4월 12일 대학생이 된 지 한 달 보름이 채 안 되었던 어느 날, 백골단에 둘러싸여 맞아서 의식을 잃었던 이경현 선배의 울부짖음으로부터 왔다. 부산교대 정문 앞쪽에는 평소와 달리 백골단과 전경들이 학생들과 대치하고 있었다. 갑자기 최루탄을 쏘면서 백골단이 밀고 들어왔다. 부산교대 정문에서 얼마 떨어지지 않은 곳에서 돌을 나르던 이경현 선배는 백골단에 둘러싸여 맞았다. 그 후로 선배는 의식불명 상태에 빠졌고, 우리는 부산진역 앞 봉생병원의 병실에 있는 그녀를 위해 조를 짜서 24시간을 지켜야 했다. 부산진역 앞 대로에 어깨를 걸고 누워 시위하다가 근처 경찰서에 끌려갔던 기억이 선명하다. 그 이후 나의 대학 생활은 온전치 못했다. 전두환과 노태우가 광주에서 했던 만행을 알게 되었고, TV 방송 뉴스와 신문이 얼마나 편파적인지 피부로 느꼈다. 무엇이 정의고, 무엇이 불의인지, 정의는 실현될 수 있는지를 고민했었다. 나의 반골 기질은 그때 형성되었던 것 같다. 권위자와 평화롭게 지내는 것이 몹시 힘들었다.

나는 어떤 학생이었나

공부에 눈을 뜨다

부모님은 늘 생업에 쫓겨 바쁘셨고, 2남 중 장남으로 자랐다. 그러니 초등학교까지는 그럭저럭 공부를 잘했지만, 중학교에 진학하니 달랐다. 영어 과목이 새로 생겼고, 과목이 많아졌다. 첫 시험을 봤는데 어려웠다. 그 후로 성적이 좋은 친구들을 많이 사귀었다. 어떻게 공부하면 성적이 잘 나오는지 많이 물어보았다. 공부 잘하는 친구들은 평소에 공부하는 시간이 절대적으로 많았다. 시험 기간이 가까워지면 새벽 1~2시까지 공부하고, 시험 기간에는 밤을 새워 공부하는 친구도 있었다. 나와는 다른 세계에 사는 친구들이었다. 나도 그 친구들과 공부하다 보니 금세 성적을 따라잡을 수 있었다. 최소 시험 범위 내에서 3번 이상복습을 하니 성적이 많이 올랐다. 학급 석차는 1, 2등을 유지하였고, 전교 석차는 전교 10등 내에 들었다.

호기심은 내 삶의 힘

중학교의 특별한 경험은 도서부 활동을 한 것이다. 중학생으로서 나름 권력의 맛을 볼 수 있어서 좋았다. 도서부는 점심시간이나 방과 후에, 도서관에서 책을 대출해 주거나, 정숙을 유지하는 역할을 했다. 당시는 폐가식이어서 도서 카드의 색인을 찾아서 대출 카드를 쓰면 책을 대출하는 방식이었다. 그런데 도서부원은 책장 사이를 오가며 마음껏 책을 읽을 수 있었다. 그리고 방학 동안 3일간의 독서캠프가 있었는데 운 좋게도 2학년 때와 3학년 때, 학교 대표로 갈 수 있었다. 그곳에서 좋은 책을 많이 소개받았고, 독서 토론을 배울 수 있었다.

폼생폼사

잭스키라는 그룹이 2002년에 '폼생폼사'라는 노래를 발표했다. 폼에 살고 폼에 죽는다는 뜻이다. 여기서 폼은 영어의 'form'인데, 명사의 뜻으로는 모습, 형태를 뜻한다. 내가 자란 부산은 당시 한국의 유행을 선도했다. 86년도 남자 고등학생들이 얼마나 폼생폼사 겉멋을 추구했는지를 남아 있는 사진을 보면 가관이었다. 당시 경제 성장을 어느 정도 이루었다. 1986년에는 부산 아시안 게임을, 1988년에는 서울 올림픽을 개최할 예정이었다. 나는 공부보다 폼생폼사를 추구했다. 부산의 고등학교는 평준화되어서 가까운 학교 순으로 지원하는 것이 일반적이었는데, 나는 교통이 불편한 가장 먼 학교를 지원했다. 이유는 단 한 가지. 그 학교에는 '진하모니'라는 동문 합창단이 있었다. 중3 겨울방학 때 교회 선배가 부산 시민회관에서 하는 합창 공연에 초대해서 갔는데 남성합창에 반해 버렸다. 그래서 고등학교는 무조건 부산진고등학교로 지원했다. 다행히 뜻대로 배정되었고 합창단에 들어갔다. 학년별로 8명만 뽑았기 때문에 쉽지 않았지만 운 좋게 들어갈 수 있었다.

나는 학력고사 세대다. 죽어라 공부만 해도 성적이 나올까 말까인데, 합창단에 빠져 해마다 학교 축제를 준비하고 겨울이면 정기연주회를 준비하느라 시간을 보내야 했으니, 결과는 뻔하다. 첫 단추가 잘못 끼워졌다.

그래도 남들처럼 공부만 하지 않고 나름 고등학교 시절에 '낭만'이라는 걸 누릴 수 있었다.

우연이 운명으로

중학교를 졸업할 무렵 무슨 생각이었는지 실업계 고등학교를 진학하려고 했었다. 예를 들면 부산기계공고, 구미 금오공고 같은 학교였다. 내가 알기로는 당시 그런 학교는 성적이 좋아야 진학할 수 있었고 졸업하면 바로 취업이 되어서 돈을 벌 수 있었다. 중학교 3학년 때 담임 선생님의 만류로 인문계 고등학교에 진학했다. 인문계 고등학교에 진학하는 이유는 대학 진학을 전제로 하는 것이었다. 고3이 되자 또 이상한 생각을 하기 시작했다. 담임 선생님과 진학 상담을 할 때, 여쭈어보았다.

"제 성적으로 4년 동안 장학금을 받아 다닐 수 있는 학교가 있을까요?"

"세무대학이나 철도대학에 가면 그럴 수 있어."

담임 선생님은 안내해 주셨다. 지금 생각해 보니 황당하지만 가정 형편을 생각해서 부모님께 조금이라도 부담을 덜어드리고 싶은 갸륵한(?) 마음이었다. 한 번은 고3 때 어느 날 친구 집에 놀러 갔는데, 친구 누나가 부산교대에 다녔다. 그때도 진학에 대해 비슷한 고민을 나누었는데, 그 누나가 말했다.

"음 교대 학비도 얼마 안 되고, 공부 잘하면 부산교대 교수도 될 수 있어."

"정말요?"

"응."

"그렇구나."

며칠 후 고3 담임 선생님 나를 부르셨다.

"상수야, 내 딸이 교대 다니는데 말이야. 학비도 싸고, 학기마다 책값 얼마 나오고, 남자의 경우 졸업하면 군대도 안 가고, 바로 교사로 사회생활을 할 수 있는데, 한 번 생각해 봐."

"네."

호기심은 내 삶의 힘

회고해 보니 두 번의 우연이 겹치기도 했지만, 사실 부모님의 은근한 권유가 있었다. 가까운 친척 중에 부부 교사가 있는데 괜찮다더라. 대구에서 남편은 고등학교 음악 교사고, 아내는 초등교사인데 잘 산다더라. 부모님께서 몇 번 하신 이야기와 두 번의 우연이 부산교대로 진학한 결정적인 이유가 되었다. 추가로 저렴한 학비와 빠르게 사회로 진출할 수 있다는 점도 결정하는 데 영향을 주었으리라.

교회에서 다 배웠다.

로보트 풀검이 쓴 [내가 정말 알아야 할 모든 것은 유치원에서 배웠다]라는 책이 있다. 내게는 교회가 그런 곳이다. 학창 시절 교회는 학원이자 놀이터이자 활동 무대였다. 목사님의 설교나 성경의 이야기를 들으며 꿈을 꾸었다. 특히 중고등학교 시절, 수요일 밤 예배에 어머니와 함께 참여했는데, 다른 교회 목사님의 이야기는 신선했다. 담임 목사님의 졸리게 하는 설교와는 달리 타 교회 목사님이나 젊은 목사님의 설교에서 새로운 이야기를 들을 수 있었다. 그때 철강왕 카

네기가 어떻게 부자가 되어 십일조를 했는지, 미국 대통령 링컨이 어떻게 기도하고 흑인을 해방했는지 등의 이야기를 들었다. 지금 생각해 보면 좀 허황하기는 하다.

　　주일학교 전도사님이나 선생님들은 내게 많은 관심을 표현해 주셨고 친절하셨다. 인정도 많이 해 주셨다. 예배 시간 이후에 이루어지는 특별활동 시간은 언제나 기다려지는 시간이었다. 중, 고등부 때 수련회는 최고였다. 보통 2박 3일로 했는데, 내가 살던 부산을 떠나 인근의 작은 소도시 기장이나 양산 등 시골의 작은 교회를 빌려 가지는 특별한 시간이었다. 성경 말씀, 기도회, 물놀이, 촌극대회, 체육대회, 간식 등이 학교 수학여행보다 더 기다려지는 행사였다. 가끔 있던 찬양의 밤, 문학의 밤, 성탄 행사, 봉사활동, 학생회 자치활동 등은 많은 것을 경험하고 배울 수 있는 시간이었다.

정신적 아노미

대학 시절 4.12 사건은 정신적 아노미를 촉발하는 사건이었다. 세상의 불의에 실망했고 내가 할 수 있는 것이 너무 작게 느껴져 허무주의에 빠져 방황했다. 마치 땅이 꺼진 것 같은 경험이었다. 모태신앙으로 자랐지만, 아직 자신의 신앙을 갖지 못했다. 처음에는 모든 것을 의심했고 교회 선배들에게 많은 질문을 했지만, 별 신통한 대답을 들을 수 없었다. 윤춘자 전도사님의 요청을 거절할 수 없어서 유년부 교사 생활을 했을 뿐 주일 예배도 참여하지 않았다. 목사님이나 전도사님의 가르침은 그냥 무의미한 소리에 불과했다. 이미 세상의 불의에 실망하여 삐뚤어질 대로 삐뚤어져서 교회에서 멀어졌다.

고등학교 때 읽었던 이문열의 [사람의 아들]이라는 액자 소설이 나를 사로잡았다. 만약 성경에서 말하는 예수님이 진정 인간을 구원하는 사랑의 신이 아니고 사탄이 인간을 위하는 진정한 구원자라면 어떻게 할 것인가? 혼란스러웠다. 성경에는 여호와 하나님을 만났던 많은 이야기가 나온다. 구약성경에는 하나님을 만났던 인물들의 이야기가 나오고, 신약 성경에는 예수님을 만났던 많은 사람의 이야기가 나온다. 나도 하나님을 만나고 싶었다. 허무한 세상에서 삶의 이유를 찾고 싶어서 아니, 살고 싶어서 부르짖었다. 성경이 진리라면 하나님을 만났던 많은 인물처럼 나도 만나 달라고 부르짖었다.

탕자처럼 돌아오다

놀랍게도 얼마 지나지 않아서 하나님을 만났다. MBC 방송에 '신비한 TV 서프라이즈'라는 프로그램에 나오는 이야기처럼 내게는 진실이지만 타인에게는 믿거나 말거나한 이야기다. 하루는 너무 힘들고 답답하여 교회 대학부 선배에게 하소연했더니 자기 집으로 오라고 하였다. 그 선배가 사는 곳은 부산 전포동 황령산 아래 첫 번째 집이었다. 좁디좁은 골목길을 돌아 돌아 맨 끝에 있었다. 형은 당시에 대학을 휴학하고 방위를 하고 있었다. 형 집에 도착하니 형이 자신의 방으로 안내했다. 조그만 마당 한쪽 끝에 한 사람이 겨우 누울만한 크기의 방이었다. 벽 중간 위에는 책장이 네 면으로 둘리어 있었고 거기에 두툼한 책과 각종 노트가 빼곡하게 꽂혀 있었다. 형은 내 이야기를 한 참 듣더니 나를 위해 기도해도 되겠냐고 물었다. 나는 그러라고 대답했다. 형이 그럼 무릎을 꿇으라고 해서 나는 순순히 무릎을 꿇었다. 형은 마치 자기의 일처럼 간절히 기도하기 시작했다. 한 오 분쯤 지났을 때였다. 갑자기 이상한 기운이 느껴져서 실눈을 뜨고 형을 바라보았다. 그런데 형의 모습에 예수님의 모습이 겹쳐서 보이는 것이 아닌가. 그날 이후로 나는 형을 신뢰하였고 하나님이 형을 내게 보내주었다고 생각했다. 나중에 알게 되었는데, 형은 나를 위해 오랫동안 기도해 왔고, 그것이 타인을 위해 하는 '중보기도'라는 것을 말이다. 그 형의 이름은 김지태이다. 나중에 한 선교단체에서 대표로 활동하셨고, 선교사이자 목사로 사셨다.

그 이후 형의 소개로 한 단체의 예배 모임에 나가기 시작했고 얼마 지나지 않아 훈련 프로그램에 등록해서 참여다. 3주간 하는 전도학교였는데, 이 주일간 강의를 듣고 일주일은 전도 여행을 하는 과정이었다. 그 모임에서 첫날밤 저녁에 나는 놀라운 일을 경험했다. 나는 간절히 부르짖으며 기도했다.

"나도 하나님을 만나고 싶어요. 하나님이 정말 살아계신다면 저를 만나주세요."

한참을 기도하다가 나는 소리를 들었다. 갑자기 주위에 있는 모든 사람은 보이지 않았고, 나 혼자 캄캄한 넓은 공간에 있었다. 진짜 물리적으로 들리는 소리는 아니었지만, 몸 전체의 세포 하나하나가 들을 수 있는 소리였다. 내 귀에는 분명히 들리는 소리였다.

"내가 너의 눈물을 보았고, 내가 너를 안다."

"내가 너를 사랑한다."

"내가 너를 보호하고, 인도할 것이다."

그 이후로 내 삶은 완전히 바뀌었다. 세상이 새롭게 보이고 해석되었다. 성경을 다시 읽기 시작하였고, 호흡처럼 기도하였고, 주변 친구들에게 전도하기 시작했다. 마치 허니문처럼 행복한 신앙생활을 시작하였다.

호기심은 내 삶의 힘

"나의 살과 뼈, 정신은
무엇으로 이루졌을까?
직관적으로 떠오르는 단어는
'호기심'과 '모험심'이다."

B

당신은 이 글의 저자인 동시에 독자입니다. 저자인 나와 독자인 나는 만날 때마다 새로운 이야기를 만들어 갑니다. 지금 이 글을 읽는 당신의 생각을 여기에 더해보세요. 그것은 내 손을 떠난 글에 새로운 생명과 생기를 불어넣는 일입니다.

호기심은 내 삶의 힘

호기심은 내 삶의 힘

나는 교사로서 어떤
이야기를 만들어 왔나요?

과거의 생애로 형성된 가치관이
교직에 들어선 후 수업, 학생,
학부모, 학급, 동료교사 혹은
교사공동체에 어떤 영향을 주어
왔는지 되돌아봅니다.
그 중에서 지금 자신의 교육에 대한
생각과 역량에 영향을 준 경험을
짚어봅니다. 그리고 그것이 어떻게
지금의 나를 형성해왔는지
인식합니다.

내 삶을 이끈 질문,
학교

대화한 날_ 2023. 10. 18.

완성한 날_ 2023. 11. 25.

내 삶을 이끈 질문, 학교

내 삶을 이끈 질문, 학교

내게 '학교'란 단어는 보통명사가 아니라 고유명사다. 교대 졸업이 얼마 남지 않은 어느 날 아침, 오전 강의에 늦지 않으려고 발걸음을 재촉하고 있었다. 전철역에서 나와 플라타너스 가로수길을 지나 막 교문을 막 통과할 때였다.

'학교'란 단어가 내 가슴팍에 새겨졌다. 뭐라 표현하기 힘든데 누구나 그런 경험 한 번은 있지 않은가. 신비로운 경험. 영화의 한 장면처럼 번개가 일어 돌판에 글자가 새겨지는 것처럼 내 마음에 '학교'란 단어가 새겨졌다. 너무나 강렬하여 그날 이후 학교는 늘 내게 질문거리였다.

학교란 무엇인가? 학교는 무엇을 하는 곳인가? 나는 어떤 학교로 가야 하나? 나는 어떤 학교를 꿈꾸고 있는가? ...... 꼬리에 꼬리는 무는 질문

촌지

부산교대를 93년 2월 졸업한 한 후 임용고시는 경기도로 지원했다. 당시 경기도는 1기 신도시인 분당, 일산, 중동, 평촌, 산본의 개발이 거의 완성되어 입주가 한창이던 시기였다. 그 여파로 경기도는 해마다 많은 교사를 뽑았다. 시험에 무사히 합격했다. 1,500명 정도 뽑았는데, 내 등수가 480등 정도였다. 언제 발령 날지 알 수 없었다. 그러던 차에 아는 선배로부터 기간제 교사 제안을 받았다. 나는 별

생각 없이 하겠다고 답했다. 3월 15일부터 5월 14일까지 약 두 달 동안 부산 당감동에 있는 동원국민학교에서 4학년 담임으로 일했다.

학년 부장 선생님은 40대 중반 남자 선생님이었다. 동 학년 선생님들은 부장 선생님을 제외하고는 모두 여자 선생님이었고 친절하였다. 대부분의 교사가 동문 선배라는 느낌은 그리 좋지 않았다. 관계에 얽매여 옴짝달싹하지 못할 것 같았다. '부산이 아니라 경기도로 지원하길 잘했다'라고 생각했다. 오래전 일이고 짧은 기간이라 거의 기억나지 않지만, 한가지 사건만은 또렷이 기억에 남아 있다. 소풍을 다녀온 5월 13일쯤이라고 기억한다. 일을 하려고 책상 서랍을 열었는데 웬 봉투가 있는 게 아닌가. 봉투를 열어보니 만 원짜리 몇 장이 들어있었다. 말로만 듣던 촌지였다. 얼마 지나지 않아 전화벨이 울렸다. 수화기 너머로 우리 반 반장 어머니의 목소리가 흘러나왔다.

"선생님, 오늘 소풍 다녀오시느라 힘드셨죠? 사우나라도 다녀오시고 맛있는 거 드셔요."

"아, 네.... ."

당황스러워서 몇 마디 말도 못 하고 머뭇거리다 통화는 끝나버렸다. 그다음 날 아이들과 인사를 하고 두 달간의 기간제는 끝났다. 촌지는 그것이 처음이자 마지막이었지만 내가 촌지를 받은 교사라는 사실은 변함없다. 지금 생각해도 부끄러운 일이다. 다시는 촌지를 받는 부끄러운 교사가 되지 않겠다고 다짐하고 다짐했다. 교사는 엄밀히 말하면 교육 공무원이다. 국가가 임명하고, 월급을 받고 일한다. 촌지는 일종의 뇌물이다. 학부모는 왜 교사에게 촌지를 주는가. 내 아이만 특별 대우를 해달라는 요구의 표현 아닌가.

첫 발령지 부곡 국민학교

기간제 교사를 끝내고 얼마 있지 않아 발령통지서를 받았다. 1993년 5월 25일부터 일하니 24일에 경기도 교육청으로 오라는 통지였다. 전화해서 알아보니 의왕시 부곡 국민학교로 발령 났다고 하였다. 옷가지 몇 개를 챙겨서 부산을 떠나 경기도 교육청이 있는 수원으로 갔다. 그날 발령 받은 100여 명의 다른 신규교사들과 함께 짧은 연수를 받은 후 각 지역 교육청으로 흩어졌다. 버스를 타고 수원역에 가서 군포로 가는 전철을 탔다. 역에서 교육청까지는 택시로 이동했다. 군포 시청 바로 옆에 교육청이 있었다. 열서너 명의 신규교사와 함께 교육장에게 인사를 하고 발령통지서를 받았다.

다행히 부곡 국민학교는 1호선 부곡역에서 걸어서 10분 정도의 거리에 있었다. 부임 인사를 하고 나니 운 좋게도 부산교대 88학번 남자 선배 한 분이 있었다. 친절하고 정 많은 김진호 선생님이었다. 선배는 학교 근처 빌라에 할머니와 함께 세 들어 살았는데, 그 댁에서 집을 구할 때까지 일주일 동안 신세를 졌다. 집은 부곡역에서 한 정거장 떨어진 성균관대앞역 근처에서 구했다. 성균관대를 다니는 동생과 함께 생활하기 위해서였다. 역에서 걸어서 10분 정도 거리에 있는 허름한 시골집이었다. 500만 원 보증금에 월세

10만 원이었던 걸로 기억한다. 이렇게 나의 파란만장한 첫 교직 생활이 시작되었다.

신규교사는 힘들다

부곡 국민학교는 1946년에 개교한 역사가 오랜 학교였다. 당시 60학급이 넘는 큰 학교였다. 중간 발령이어서 그런지 4학년 음악 전담이었다. 업무는 육상부, 해양소년단이었다. 육상부는 부곡 국민학교에 있는 동안 계속 맡았다. 첫해는 전담이라 괜찮았지만, 다음 해는 3학년 담임을 맡았는데 육상부까지 하려니 힘들었다. 부모 슬하에서 해주는 따뜻한 밥 먹고 다니다가, 직접 해먹고 다니려니 자취 생활 자체가 힘들었다. 게다가 다른 선생님들보다 1시간 일찍 출근해서 육상부 훈련을 시키고 방과 후에 또 1시간씩 훈련시켜야 했다. 매일매일 수업 준비하랴, 육상부 훈련시키랴 잘하고 못하고의 문제가 아니라 살아남느냐 죽느냐 생존의 문제였다.

큰 학교라 교감이 두 분 계셨다. 두 분 모두 초임 교감이었는데, 교장 선생님은 두 분을 경쟁시켰다. 남자 교감은 키가 크고 괄괄한 분이셨고, 여자 교감은 광주교대 부속 국민학교에 오래 계셨던 분이다. 첫 학교 2년 6개월 동안 도 지정 시범학교, 시 지정 시범학교를 연이어서 했다. 업무가 많았다. 그중에서도 가장 힘들었던 것은 장학지도였는데, 경력 3년 미만 교사들에게 마이크로 수업을 한 것이었다. 15명 정도가 해당하였는데 매주 돌아가면서 수업안을 만들고, 수업 시연을 하게 했다. 교사 역할을 안 할 때는 학생의 역할을 해야 했다.

ENFP 초등 남교사

신규교사 때는 모두가 힘들겠지만, MBTI 유형 중 ENFP 남교사는 유독 학교생활이 힘겨웠다. 학교에서 행복하다는 선생님들을 가끔 만났다. 젊었을 때는 그런 선생님들을 이해하기가 어려웠다. '난 학교생활이 이렇게 힘든데, 어떻게 그것이 가능하단 말인가?' 내가 뭔가 부족해서 그런 줄 알고, 연수를 부지런히 쫓아다녔다. 그런데 도움이 되는 것도 일부 있었지만, 대부분은 내게 맞지 않았다. 남자 교사다 보니 주로 5, 6학년을 많이 맡았는데, 고학년 아이들이 뻔히 보이는 거짓말로 속이려 할 때, 사소한 일로 많이 다툴 때, 질서가 잘 안 잡힐 때 아주 힘들었다. 여학생들 사이에 일어나는 관계의 문제도 다루기 어려운 문제 중 하나였다.

내가 보기에 학교는 일하기 힘든 구조였다. 책임과 권한을 주고 자유롭게 일하는 곳이라기보다는 하지 말아야 할 것과 해야 할 것의 목록이 가득한 곳이었다. 교사인 나도 그렇고, 아이들까지 목록대로 행동하도록 하는 역할까지 수행해야 하니 자유로운 영혼을 추구하는 나로서는 갑갑했다. 5년 차까지는 학교에 적응하느라 힘들었다. 나의 교직 생활은 그런 어려움을 극복해 가는 과정이었다. 그러다 보니 나는 늘 아이들보다 주변에 어려움을 겪는 동료 교사에게 내 마음이 흘러가는 것을 느꼈다.

김영희 부장 선생님

신규교사 1년 차 음악 전담을 하고 있을 때, 4학년 부장 선생님이셨다. 누님처럼 돌봐주셨다. 교감 선생님께서는 쉬는 시간에 교무실로 오라고 하셨지만 그러기에는 교무실이 너무 멀었다. 교무실이 싫기도 했다. 학교 건물이 세 동이 나란히 있었는데, 교무실은 맨 앞 건물 2층에 있었고, 4학년 교실은 맨 뒷동 3층에 있었다. 나는 학생 책상 하나를 4층 중앙 계단 공간에 두고 지냈다. 그러다 11월 말이 되니 너무 추웠다. 김영희 부장 선생님은 추우니까 빈 시간에 자신의 교실에 와 있으면 어떠냐고 초대해 주셨다. 그해 겨울 방학 때까지 한 달 이상을 빈 시간이면 부장 선생님 교실에서 자연스럽게 참관했다. 교생처럼. 그때 많은 것을 배웠다. 부장 선생님 반에서 많이 배울 수 있었다. 학생들을 어떻게 대하는지. 김영희 선생님은 참 따뜻한 선생님이었다. 질서를 잘 세우면서도 아이들의 잘 관찰하고 친절하게 이끄셨다. 가끔 아이들과 노래도 부르시고, 게임도 하셨다. 활기차면서도 안정감이 느껴지는 학급 분위기였다. 그때는 몰라서 고마움도 잘 표현하지 못했다. "부장 선생님 그때 정말 고마웠습니다." 지면에서나마 고마운 마음을 표현해 본다.

승진에 대한 환멸

당시는 교사가 많이 필요한 때여서 신규교사를 많이 뽑기도 했지만, 전국 각지에서 전입도 많이 받았다. 타시도에 근무하던 경력 교사도 경기도로 대거 유입되었다. 이에 따라 기존에 인천교대 출신과 타시도 출신 교사들이 승진을 두고 무섭게 경쟁하였다. 초임 교사의 눈에 비친 선배 교사들의 정치와 알력은 무서울 정도였다. 남자 교사들은 잦은 공식, 비공식 회합에서 싸웠다. 교무회의, 회식, 배구 시합을 하다가 사사건건 으르렁거렸다. 교사는 단지 가르치기만 하는 직업이 아니었다. 줄을 서야 했고, 같은 교대 출신끼리 서로 밀어주고 당겨주었다. 승진이라는 이익을 앞에 두고 서로 싸웠다. 또 한편으로 전교조 가입 교사인가,

교총 가입 교사인가를 두고도 갈등이 있었다. 젊은 교사들은 전교조에도 많이 가입했던 것으로 안다. 전교조에 열심히 활동하는 선배 교사가 행사에 많이 초대했었다. 전교조는 당시 안양에 있던 노총 사무실을 빌려서 사물놀이를 비롯한 여러 연수를 열었다. 나는 전교조도, 교총도 가입하지 않았다. 일찌감치 승진으로부터는 멀어지는 노선을 선택했다. 나와 맞지 않다고 생각했다.

학교를 만들자

98년 제1회 기독교사대회

98년 기독교사대회는 교직 생활의 전환점이 되었다. 혼자 운전하여 강원도 춘천 강원대학교로 가고 있었다. 비는 억수같이 쏟아졌고, 가는 길 곳곳에 산사태가 나고 도로가 유실되었다. 몇 개의 교사단체가 연합하여 98년 8월 제1회 기독교사대회를 개최하였다. 가면서도 폭우로 대회가 일정대로 열리는지 알 수 없는 상황이었다. "다음 세대를 책임지는 교사"라는 직사각형 모양의 대형 플래카드가 대강당 입구 오른쪽에 걸려있었다. 전국 각지에서 약 900명의 기독교사가 모였다. 폭우를 뚫고서 말이다. 첫 시간부터 감동의 도가니였다. "우리 오늘 눈물로 한 알의 씨앗을 심는다." 찬양을 부르며 기도할 때 감동으로 가슴은 벅차올랐고, 뜨거운 눈물이 흘렀다. 나 외에도 이렇게 많은 기독교사가 있었다니. 혼자만 고민하고 힘들었다고 생각했는데 숨겨진 많은 동료를 직접 보니 힘이 났다. 기독교사대회는 내 교직 생활의 방향을 결정하는 전환점이 되었다.

MK 선교

기독교사대회는 3박4일 동안 주제 강의, 저녁 집회, 선택 강의 등으로 이루어졌는데, 그 중 'MK 선교'라는 선택 강의가 눈에 띄었다. 강사는 중국 천진에 있는 화평 국제학교의 교감 선생님이었는데, 내가 출석하던 온누리교회의 파송 선교사였다. 그래서 더 관심이 갔다. 강의를 들은 후에 새로운 사실을 알게 되었다. 첫째, 교사도 선교사가 될 수 있다. 둘째, 선교사들이 선교지에서 자녀 교육의 문제로 힘들어한다. 셋째, 선교지에 많은 교사 선교사가 필요하다. MK 선교는 선교 사역의 한 부분으로 Misionary Kids의 첫 이니셜을 따서 만든 말이었다. 풀이하자면 '선교사 자녀 사역'으로 이해하면 된다. 한국 선교사의 자녀들이 주로 서양 선교사들이 만든 학교에 많이 다니는데 이제는 한국 선교사가 많아지면서 자녀를 위한 학교가 그만큼 많이 필요하다는 내용이었다. 마침 천진에 한국 선교사 자녀를 위한 학교를 시작했는데 더 많은 초등교사가 필요하니 꼭 관심을 가져 달라는 것이었다. 그 선택 강의 이후 적극적으로 선교를 준비하게 되었다.

기독교사대회를 다녀온 후 내 마음은 선교지로 가고 싶은 열망으로 가득하였다. 대학에 다닐 때 선교단체에서 훈련받으면서 어렴풋이 선교에 대한 동경을 가졌었다. 마침 아내는 대학 동기로 함께 선교단체에 활동했기 때문에 내 생각을 잘 이해해 주었다. 당시 부모님과 함께 살고 있었는데 부모님은 반대하셨지만, 나의 결정을 꺾지는 못하셨다. 온누리교회 선교부에 선교사로 허입받는 절차를 밟기 시작했다. 학교에 휴직서를 내고, 고용계약서를 작성하고, 여권, 비자를 받는 등 짧은 시간 안에 여러 가지 복잡한 문제를 해결해야 했다. 99년 1월에 MK NEST에서 주최하는 제1회 교사 선교사 훈련캠프를 이수했고, 교사선교회(TEM)에도 입회했다. 기독교사대회에서 만났던 교사선교회 대표 이풍우 선생님께 군포의 기도 모임 선생님들을 도와 달라고 부탁드렸다. 이풍우 선생님은 그 후 2년 동안 매주 월요일마다 인천에서 군포까지 오셔서 양육모임을 이끌어 주셨다.

천진 화평 국제학교

1999년 2월부터 2001년 2월까지 만 2년 동안 중국 천진 화평 국제학교에서 일했다. 경력은 7년밖에 안 되었지만, 교무로서 일했다. 당시 학교가 개교한 지는 2년 남짓 되었지만, 대기업 사업가 출신의 장로님이 교장이었고, 다양한 배경의 평신도 선교사들이 교사로 일하고 있었다. 그

학교는 천진에 거주하는 한국 자녀를 위한 학교였지만 25%는 선교사 자녀들이 있었다. 한국 사람이 만들었지만, 중국 천진에 있었고 영어권에서 온 교사들, 한국에서 온 교사들, 그리고 중국어 교사와 직원들로 이루어진 국제적인 분위기였다. 나는 학교 전반의 교육과정과 학교 행사 등을 기획하고 운영하는 실무를 맡아서 열심히 일하였다. 선교지는 모든 것이 부족하다. 무엇보다 사람이 부족하고, 재정도, 시설도 다 부족하다. 선교지 학교에서 일하다 보니 한국학교의 사정이 얼마나 풍족했는지 깨닫게 되었다. 선교지 학교의 가장 큰 문제는 해마다 사람이 많이 바뀐다는 것이다. 사정이 열악하다 보니 오래 일하는 사람이 거의 없다. 대부분 6개월에서 길게는 3년 정도 일한다. 나와 아내는 2년을 일했으니 제법 길게 일한 편에 속한다.

그 학교에 2년 동안 있으면서 보다 주도적으로 일해 볼 수 있었다. 교장 선생님께서 많은 재량권을 주셔서 교육과정에 관해서는 해보고 싶은 것은 거의 시도해 보았다. 선생님들과 의논하여 학교 행사를 계획하고 실천했다.

신앙에 바탕을 둔 다양한 활동을 시도할 수 있었다. 학생들이 사용할 큐티 교재를 직접 만들어서 사용했다. 부활절 주간 동안 부활의 의미를 기념하는 활동을 했던 일, 꽃들의 노래라는 학교 문집을 만들었던 일, 가을 대운동회, 북경으로 수학여행을 다녀왔던 일 등 다양하게 시도해 보았다. 환경은 열악했지만, 장점도 있었다. 교사 간에 관계가 좋아서 의사소통이 원활하였고, 학생 수가 한 반에 10명에서 15명 정도 소인수라는 것도 좋았다. 짧은 2년 동안이었지만 최대 수확이라면 '학교 설립에 대한 꿈'을 가지게 된 것이다. 교사들이 마음만 먹으면 학교를 만들 수 있겠다는 가능성을 보게 되었다. 신학교를 졸업한 목사님들은 교회를 개척하지 않는가. 교사들도 몇 명만 모이면 어렵겠지만 학교를 설립할 수 있지 않을까 꿈을 꾸었다.

교사선교회

2001년 2월 한국으로 돌아와 3월에 복직하였다. 한국으로 돌아와서는 교사선교회가 내 삶의 중요한 축이 되었다. 양육모임에 참여했고, 지역 리더로 성장하였다. 한일 월드컵을 개최하였던 2002년 5월에 셋째가 태어났고, 같은 달 교사선교회 군포 안양지역 간사로 임명받아 지역 사역을 시작했다. 그 이후로 줄곧 지역 간사로 일했다. 교사선교회에는 본받고 싶은 선생님들이 많이 계셨다. 학급과 학교, 교회와 선교회에서 헌신적으로 일하는 분들이 많았다. 주로 학급 제자 양육과 선생님들을 양육하였다. 여름방학과 겨울방학이 되어 전국 각지에서 오신 선생님들과 교제할 수 있었다. 디모데캠프는 학기중에 제자모임을 했던 선생님들이 제자들을 데리고 와서 여는 신앙 캠프다. 이런 모든 행사를 교사들이 기획하고 실행한다. 교사선교회에 더 깊이 참가하면서 교사로서 성장하였다.

　　　교사선교회는 기독교사들이 모인 선교회이다. 그 뿌리는 1974년 인천교대의 기독학생회 동문회에서 찾을 수 있다. 그 이후 1975년에 경기도기독교사회로, 1981년에는 경기기독교사회로 명칭을 바꾸며 모임의 틀을 넓혔다. 1988년 교사선교회로 명칭을 바꾸면서 선교단체로 발전했다. 1990년대와 2000년대에 급격히 성장하여 현재는 전국 9개의 교대와 한국교원대, 이화여대에 캠퍼스 모임이 있으며, 교사 모임은 전국을 9개의 권역으로 나누어 지역별로 모임을 꾸리고 있다.

한동대학교 교육대학원

교사선교회에서 자신의 한계를 극복하면서 성장하는 면도 있었지만, 여전히 극복하지 못하는 어려운 점도 있었다. 대부분의 회원이 공립학교 교사로 일한다는 공통점이 있는데, 교사로서의 정체성은 부족하다는 점이었다. 신앙을 가진 교사들이 펼쳐야 하는 교육은 어떤 모습일까에 대해서는 시원한 답을 얻을 수가 없었다. 서구에서는 일찍부터 기독학교가 많이 설립되어 운영되고 있다. 한국에도 이미 기독교학교라고 표방하는 곳은 많지만 내가 보기에는 어떤 차이점이 있는지는 잘 모르겠다. 교사선교회 선생님들이 기독학교를 만든다면 어떤 모습일지 고민하기 시작했다. 이런 주제에 관심 있는 선생님이 모여서 책을 읽으며 함께 연구하기 시작했다. 2005년에는 기독교 교육에 관심이 있는 선생님들이 포항에 있는 한동대학교 교육대학원으로 함께 진학하였다. 이상찬, 김중훈, 구본길, 김기웅, 심훈, 박한배, 송칠섭, 나희철 등과 함께 하였다. 한동대 교육대학원은 창조론과 기독교 세계관에 기초한 단원을 개발하는 것을 목표로 하는 계절제 대학원이었다. 방학마다 5학기 동안 기숙사에 3주 동안 머물며 기독교 세계관에 기초한 기독교 교육을 탐구하고 토론하였다. 기독교 학교에 관한 국내외 책과 자료를 구해서 읽으며 이해를 넓히는 계기가 되었다.

학교설립의 꿈

오래전부터 교사선교회의 안에는 기독교 학교 설립에 대한 논의와 회합이 있었다. 그렇지만 구체적으로 논의하기 시작한 것은 2007년 별무리 마을 조성을 위한 부지를 구입하고 난 이후로 볼 수 있다. 2008년 3월 홍세기 선생님을 위원장으로 하여 '학교설립 준비위원회'가 발족하였다. 당시 격주마다 토요 휴무일이었는데 위원들은 금산에 모여서 학교 설립을 준비했다. 2009년 7월부터 홍세기 선생님은 필리핀 마닐라 한국 아카데미로 파송됨에 따라 박현수 선생님을 위원장으로 추대하여 '학교 설립추진위원회'로 명칭을 바꾸고 학교설립을 준비했다. 나는 이때 학교 철학 분과 위원으로 이현민 선생님과 함께 참여하였다. 함께 공부하고, 계획하고, 문제를 해결해 나갈 때 꿈이 현실로 나타나기 시작했다. 실로 기적이 일어났다. 2011년 7월 건축을 시작하여 2012년 2월에 완공하였다. 별무리학교는 개교하기 1년 전부터 교사를 뽑아 교육과정을 준비하였으며 2012년 3월 개교하였다.

중앙기독초등학교

2008년은 내게 중요한 일이 두 가지 일어난 해이다. 공립학교를 그만두고 사립학교인 중앙기독초등학교로 근무지를 옮긴 일과 아주대학교 박사과정에 진학한 일이다. 공립에서 14년 10개월 만에 의원면직하였다. 지역 사역을 하면서 김요셉 목사님을 강사로 초대한 한 적이 있었는데, 그

일이 인연이 되어 목사님께서 나의 사정을 아시고 기독교 학교에서 일해보면 어떻겠냐고 제안해 주셨다. 당시 2007년부터 선교회 선생님들과 기독학교 설립을 본격적으로 준비하던 중이었는데, 공립에서 일하는 것보다는 기독학교에서 일해본 경험이 학교설립에 도움이 될 것으로 생각하여 옮겼다.

아주대학교 박사과정

박사과정은 아주대학교 평생교육 전공으로 진학했는데, 한동대 대학원에서 석사학위를 취득하면서 공부에 흥미를 느끼기도 했고, 여건이 될 때 공부를 더 해보고 싶어서 지원했는데 덜컥 합격하여 공부하게 되었다. 초등교사로서 좀 더 전문지식을 공부하고 연구 방법을 익히고 싶었다. 한국에서 평생교육은 교육학의 한 영역으로 새롭게 자리를 잡아가고 있는 과정이었고 내게는 생소한 영역이어서 초반에는 애를 먹었다. 학교 업무도 사립으로 옮긴 터라 만만치가 않았다. 5학기의 코스워크는 무난히 잘 따라갔지만, 학위논문을 쓰는 과정이 쉽지 않았다. 2008년 입학해서 2016년 2월에 겨우 박사학위를 받을 수 있었다. 연구 주제는 교사실천공동체 구성원들의 확장학습 경험 사례연구였다. 실천공동체와 확장학습을 이론적 배경으로 하여 교사선교회를 사례로 연구했다. 2011년에 별무리학교 교사를 모집하였는데 나는 지원하지 않았다. 먼저는 고등학교로 진학하는 첫째와 둘째 딸이 강하게 반대하였고, 다음으로는 박사학위 공부를 마치지 못한 것이 마음에 걸렸기 때문이다. 내 역할은 학교설립 준비를 돕는 데서 그쳤다. 박현수 교장 선생님을 중심으로 이상찬 선생님, 구본길 선생님, 박한배 선생님 등과 새로 임용된 선생님들이 협력하여 별무리학교는 세워졌다.

나는 교사로서 어떤 가치를 중요하게 가르쳤는가?

준비

두 번째 학교에서는 산본 아파트촌에 둘러싸여 있는 흥진초등학교였다. 이 시기에도 고학년 담임과 스카우트, 방송, 육상부를 맡았다. 스카우트 활동을 하면서 받은 영향인지 '준비'라는 경례할 때 붙이는 말이 좋았다. 아이들에게 준비의 중요성을 자주 말했다. 준비되어 있지 않으면 아무리 좋은 기회가 와도 기회를 잡을 수 없다. 작고 사소한 일이라도 평소에 준비하는 마음이나 태도를 갖추도록 지도한다. 특히 매일 반복되는 루틴은 처음부터 차근차근 습관이 될 때까지 지도하는 편이다.

도전

나는 NIKE 사의 "Just Do It!"을 좋아한다. 머리로 이해하고 배우기도 하지만 먼저 해보고 몸으로 배우는 편이다. 시행착오를 할 때도 많고, 손해를 볼 때도 많지만 새로운 상황이나 배움을 두려워하지 않는다. 아이들에게도 멋지게 도전하고 결과는 맡기자고 설득한다. 실패가 두려워 시도조차 않는다면 두고두고 후회할 거라고. 현대의 창업주인 정주영 회장이 남긴 유명한 일화가 있다. "임자, 해봤어?"라고 말했다. 해 보지도 않고 불가능하다고 미리 포기하지 말라는 뜻이다. 아이들과 해마다 도전이 될 만한 활동을 함께 정한다. 힘을 합쳐 결국 해냈을 때 성취감을 맛보도록 도전한다.

독서와 글쓰기

어린 시기에 읽는 독서와 글쓰기는 습관이 중요하다. 독서는 부모가 독서하는 모습을 보여주는 것도 중요하지만 더 중요한 것은 소리 내 꾸준히 읽어 주는 것이 좋다. 아이들은 부모가 책을 읽어 주는 것을 좋아한다. 책 속으로 빠져들어 부모와 이야기를 공유하고 이야기를 나눌 수 있기 때문이다. 학교에서도 그림책이나 동화책을 자주 읽어 주는 편이다. 자투리 시간에는 꾸준히 읽어 줄 재미있는 책을 늘 준비하는 편이다. 글쓰기는 최근에 더 중요하다고 생각하게 되었다. 다양한 주제로 매일 글쓰기를 실천하고 있다. 겪은 일을 중심으로 쓰기도 하고, 국어 교과와 그 외 다양한 과목과 연계하여 쓰기도 한다. 가족과 마주 이야기를 나누고 글로 정리하기도 한다. 갈래 글도 활용한다. 설명하는 글, 소개하는 글, 주장하는 글, 인터뷰 글, 동시, 이야기 만들기, 기행문 등. 글은 쓰면 꼭 소리 내 읽는 시간을 가진다. 소리 내 읽으면서 이야기를 공유한다. 소리를 내 읽는 시간이 글을 꾸준히 쓰게 하는 힘이 되기도 하고 서로의 생각을 켜켜이 쌓아가는 사귐이 된다.

먼저 보낸 제자

한 번도 다른 사람에게 꺼내 보지 못한 이야기가 있다. 제자를 먼저 보낸 이야기이다. 가까이 지내던 이의 죽음은 충격을 준다. 더구나 학급에서 매일 눈빛과 인사를 나누던 제자의 비보를 들었을 때 슬픔은 표현하기가 힘들다. 첫해 3학년을 맡았는데 눈망울이 크고 서글서글했던 ㅇㅇ이라는 여학생이 있었다. 내게 친근하게 다가와 조잘조잘 말을 잘 붙이고 글씨를 예쁘게 쓰는 친구였다. 여름방학 중에 부모에게 울먹이는 목소리로 전화가 왔다. 강원도 홍천강으로 휴가를 갔다가 ㅇㅇ이가 익사했다는 것이다. 점심을 먹은 후에 부모님이 설거지하는 동안 두 살 많은 언니와 물에서 튜브를 타고 놀다가 사고를 당했다. 그해 가을, 나는 심한 우울증에 시달렸다.

연이어 다음 해는 5학년 담임을 맡았다. 가을 어느 날이었다. 공부도 잘하고 똑똑했던 여자아이 ㅇㅇ가 있었다. 눈빛이 선하고 미소가 예쁜 친구였다. 며칠 전에 독감 예방 주사를 맞았고, 다음 날 식탁에서 아침을 먹다가 갑자기 쇼크가 와서 쓰러졌다. 구급차에 실려 인근 큰 병원으로 실려 갔다. 병원에서는 3일 동안 의식불명이었다가 깨어났다. 일주일 동안 병원에 있다가 별 이상이 없어서 다시 등교했다. 오후에 수학 시간이었는데 ㅇㅇ이가 눈물이 글썽거렸다.

"왜 ㅇㅇ아, 무슨 일이니?"

"선생님, 이 문제 제가 다 알던 건데, 지금은 모르겠어요. 기억이 안 나요."

"그래, 괜찮아. 괜찮아 질거야..... ."

그 후에 ㅇㅇ이는 병원에 다시 입원했고, 일주일 후에 하늘나라로 갔다. 담임을 맡은 첫해와 둘째 해 연이어 두 제자의 죽음은 트라우마가 되었다. '내가 담임을 맡아서 아이가 죽은 것은 아닐까?', '나는 계속 교사를 할 수 있을까?' 정말 두려웠다. 그해 가을과 겨우내 삶의 의미에 대해서, 교사 생활에 계속할 수 있을지를 고민했다. 퇴근 후에 바로 옆에 있는 왕송저수지로 자주 산책하러 갔다. 연이어 두 제자를 가슴에 묻었다. 그 제자들이 생각나서 이듬해 다른 학교로 내신을 냈다. 먼저 보낸 두 제자를 생각하며 해마다 생명의 소중함을 전한다. 아이들이 존재하는 것만으로 가치 있고 감사하다고 매일매일 고백한다. 너희들은 꽃이라고. 너희들이 있어서 내가 산다고.

"영화의 한 장면처럼 번개가 일어

돌판에 글자가 새겨지는 것처럼

내 마음에 '학교'란 단어가 새겨졌다."

내 삶을 이끈 질문, 학교

B

당신은 이 글의 저자인 동시에 독자입니다. 저자인 나와 독자인 나는 만날 때마다 새로운 이야기를 만들어 갑니다. 지금 이 글을 읽는 당신의 생각을 여기에 더해보세요. 그것은 내 손을 떠난 글에 새로운 생명과 생기를 불어넣는 일입니다.

내 삶을 이끈 질문, 학교

내게 배운 학생들은
어떤 세상에서 살까요?

우리 사회가 어떠한 곳이 되기를
바라는지 생각해봅니다. 정치, 경제,
문화 등 사회의 각 영역에 대한
관점에 영향을 준 일들을
짚어봅니다. 그를 통하여 어떤
가치관을 형성해 왔는지
성찰합니다. 그에 비추어 현재
우리 사회의 모습을 볼 때 발견하는
괴리를 인식합니다.

이런 사회를 만들어 다오

대화한 날_ 2023. 10. 25.

완성한 날_ 2023. 11. 28.

이런 사회를 만들어 다오

이런 사회를 만들어 다오

첫 담임을 1994년도에 3학년을 맡았으니 그해 제자들은 2023년 현재 40대에 접어들었다. 그들은 내가 당시에 꿈꾸던 사회에 살고 있을까? 당시에 나는 20대 중반이었고, 제자들이 한국이라는 좁은 땅에만 머물러 있지 않고 시각을 넓혀 세계를 누비며 살기를 바랐다. 3년 후인 1997년에는 영어가 초등 교육과정에 정식 과목으로 들어

왔고, 인터넷 환경은 순식간에 세계를 지구촌으로 만들어 버렸다. 세계화의 물결이 거세게 몰아치고 있었다. 그때의 제자들은 14년 차이니 지금은 삼십대 중반이 되어 나와 동시대를 살아가고 있다. 교직 30년 차인 현재, 가르치는 제자들은 앞으로 어떤 사회를 살아가게 될까? 나는 간절한 소망을 담아 씨앗을 심으며 이런 사회를 만들어 달라고 부탁하고 싶다.

지속 가능한 사회

내가 가장 관심이 있는 이슈는 지속 가능한 사회이다. 한국은 최단기에 경제성장과 민주화를 동시에 이룬 나라이기도 하지만 가장 빠르게 초고령화 사회로 진입하고 있는 나라이다. 현재의 젊은이들은 안타깝게도 부모보다 가난한 첫 세대라고 한다. 결혼은 필수가 아니라 선택이라고 하지만 부모의 지원이 없다면 사실상 결혼할 엄두도 내기 어렵다. 결혼하더라도 자녀를 낳지 않은 부부들이 많다. 그만큼 자녀를 키우기가 어려운 현실을 반영하고 있다. 마냥 젊은이들만 비난할 일이 아니다. 나의 자녀들만 해도 20대 후반이지만 아직 결혼할 뜻이 없고, 부모로서 지원도 쉽지 않다. 왜 이렇게 되었을까?

다음 세대가 빠른 속도로 줄어들면 곧 한국 사회는 위축될 것이다. 경제는 역동성이 잃게 될 것이다. 제2차 세계대전 후 북유럽 최빈국이었던 스웨덴은 일찍부터 인구 위기를 직면했다. 여성이 사회 진출을 많이 하면서 출산율이 급격히 준 것이 원인이었다. 그들이 위기를 극복하기 모색한 방안은 '성평등'으로 모아졌다. 전통적으로 가사노동과 육아를 여성의 일이라고 여겼던 것을 사회 전체의 일로 받아들이기 시작했다. 부모의 권리를 부모가 동등하게 누리도록 장려하는 다양한 정책을 시도하였다. 그 노력은 100년이 넘도록 한결같이 추진하였다. 그 결과로 일과 가정이 양립하는 건강한 사회와 기업문화를 일구었다. 그들이라고 자녀 양육에 어려움이 없었겠는가. 출산 장려 정책은 늦었다고 섣불리 추진할 것이 아니라 길게 100년을 내다보고 기초부터 단단히 추진해야 한다.

초저출생 결과 예측

최근 EBS는 다큐멘터리 K [인구 대기획 초저출생]이라는 프로그램을 10부작으로 방영하였다. 방송에 따르면 한국은 2022년 합계출산율 0.78로 초저출생과 동시에 초고령화 사회로 가고 있다. 현재 190개인 대학이 2038년이 되면 몇 개가 살아남을지 시뮬레이션해 보니 충격적인 결과가 나왔다. 첫째, 입학정원 규모, 둘째, 선호도, 셋째, 선호도+평판 세 가지 기준으로 예측해 보니 첫째, 입학 정원 규모로 보면 190개 대학중 39개 대학만 생존하는 것으로 나타났다. 2023년 대학 입학 정원 34만 명이고, 2038년 대학 입학 정원은 15만 명으로 추산되었다. (2020년생) 미충원 인원이 19만 명으로 150개 대학이 입학정원이 0이 될 것이라 한다. 둘째, 선호도를 기준으로 하면 63개 대학이 생존하고, 셋째, 선호도+평판을 기준으로 하면 53개가 생존한다고 한다. 광역시나 도시에 대학이 한 곳도 없는 곳도 생길 전망이다. 가히 충격적이다.

이런 사회를 만들어 다오

부모의 권리가 보편적 권리가 되도록

이런 일이 예상되니 제자들에게 너희는 무조건 아이를 많이 낳아야 한다. 결혼도 꼭 하고. 이렇게 말한다고 될까. 거대한 물줄기를 바꾸려면 모두 자기 일로 받아들여야 한다. 사회 구성원 전체가 정부, 기업, 학교 할 것 없이 모두가 출산과 양육을 제 일로 받아들이고 분담해야 한다. 부모의 권리를 부유층이나 일부 특권층만 누리게 해서는 안 된다. 누구나 누릴 수 있는 보편적 권리가 되도록 만들어야 한다. 공무원처럼 남녀에 따른 임금 차를 없애야 할 것이고, 양육 수당도 현실화해야 할 것이다. 출산 휴가와 양육 유급 휴가도 확대해야 한다. 특히 스웨덴의 아버지 할당제 같은 정책은 도입이 시급하다. 현재 스웨덴의 엄마와 아빠의 육아휴직 비율이 70:30이라고 한다. 아빠의 육아 휴직이 30%만 되도 출산율은 반등할 것이다.

한류가 에너지가 될 것이다

한국은 매력적이다. 서구의 시각에서도 동양의 시각에서도 분명 매력적인 구석이 있다. 평화를 사랑하고, '빨리빨리'를 추구하고, 역동적이다. 그리고 부지런하고 성실하다. 이런 힘이 세계 시장에 먹히고 있다. 가전, 전자, 조선, 자동차, 방산 등 구체물의 시장부터 음악, 드라마, 영화, 게임, 음식, 의료 등 문화적인 시장까지. 세계인에게 한국이란 나라가 이렇게까지 알려지고 긍정적으로 받아들여진 때가 역사상 없었다. 분명히 기회라고 생각한다. 한국의 다이나믹한 매력을 세계에 더욱 펼칠 수 있는 시대가 왔다. 한국의 매력을 세계에 더 펼치려면 신뢰를 바탕으로 한 자존감, 회복탄력성, 존중, 인정, 창의성, 협력하는 힘 등 사회적 자본을 더욱 축적해야 할 것이다. 국가의 전반적인 시스템을 더욱 개방적으로 열어서 동서양 사람들이 모두 오도록 살기 좋고, 일하기 좋고, 공부하기 좋은 곳으로 만들어야 할 것이다.

이런 사회를 만들어 다오

최악의 선택은 전쟁

근대는 확실히 '이성'을 바탕으로 한 합리성, 효율성의 시대였다. 인터넷, AI, ChatGPT 등 과학기술이 생활 전반에 들어온 지금의 시대는 무슨 시대라고 할 수 있을까. 최근 발발한 러시아 우크라이나 전쟁이나, 이스라엘과 하마스의 전쟁을 보면 끔찍하다. 과학 기술을 이용한 대량 살상이 가능하다. 전쟁은 어린아이, 노인, 남자, 여자를 가리지 않는다. 갑자기 삶의 터전을 잃고 난민이 된다. 무고한 생명을 서로 앗아간다. 인간은 합리성을 추구하는 것처럼 보이지만 반대로 전쟁이라는 가장 비합리적인 선택을 한다. 유사 이래로 인간의 본성은 크게 변하지 않았다. 여전히 두려움, 불안, 욕망, 질병 등 개인의 문제와 갈등, 분쟁, 전쟁과 같은 사회적인 문제를 해결하지 못하고 있다. 전쟁은 최악의 선택이므로 어떠한 상황에서도 전쟁만은 피해야 한다.

"교직 30년 차인 현재,

가르치는 제자들은 앞으로

어떤 사회를 살아가게 될까?

나는 간절한 소망을 담아

씨앗을 심으며

이런 사회를 만들어 달라고

부탁하고 싶다."

이런 사회를 만들어 다오

B

당신은 이 글의 저자인 동시에 독자입니다. 저자인 나와 독자인 나는 만날 때마다 새로운 이야기를 만들어 갑니다. 지금 이 글을 읽는 당신의 생각을 여기에 더해보세요. 그것은 내 손을 떠난 글에 새로운 생명과 생기를 불어넣는 일입니다.

이런 사회를 만들어 다오

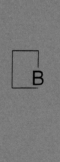

B

학교는 어떤 곳이
될 수 있을까요?

우리 교육이 마땅히 그러하길
바라는 모습을 상상해봅니다.
교육에 대한 자신의 철학을
형성하게 한 일들을 되짚어봅니다.
그를 통하여 어떤 교육철학을 갖게
되었는지 성찰합니다. 현재 우리
교육이 가진 괴리를 인식합니다.

미래교육은 없다

대화한 날_ 2023. 11. 1.

완성한 날_ 2023. 11. 28.

미래교육은 없다

미래 교육은 없다

현재를 희생시키지 않는 배움

미래 교육은 현재의 교육과 다른 것인가? 가상현실이 현실처럼 구현되고, AI가 발달하면서 컴퓨터는 스스로 학습한다. 이른바 딥러닝이 가능해졌다. Open AI사가 개발한 ChatGPT는 미국 의사 시험, 변호사시험을 통과할 정도다. 이런 시대에 교육은 무엇을 놓치지 말아야 할까. 교육은 미래를 위한 것은 분명하지만 미래를 위해 현재를 희생시켜야 한다면 본말이 전도된 것이다. 엄밀히 말해 미래 교육은 현재를 위한 교육과 어느 정도 동떨어져 있다. 오늘은 어제의 내일이었고, 내일이 되면 또 그다음 날이 내일이 된다. 이처럼 미래는 시시각각 다가오지만 현재에서 한발 물러서 있다. 그러므로 내 관점에서 미래 교육은 없다. 현재를 위한 교육이 있을 뿐이다. 현재를 희생시키지 않는 동시에 현재의 삶과 직결되는 교육이 미래에도 여전히 필요하기 때문이다.

정체성, 공동체, 학습법

학교는 배우는 곳이다. '무엇을, 어떤 방식으로 배우는가?'가 중요한 질문이 될 것이다. 무엇을 배워야 할까? 먼저는 자신이 누구인지 알아야 한다. 자신을 알아간다는 것은 단기적인 과제가 아니다. 평생을 두고 죽는 순간까지 자신을 알아가야 한다. 자신의 긍정적인 면, 부족한 면이 무엇인지 알아가야 할 것이다. 둘째는 자신을 둘러싼 공동체를 알아가야 한다. 가까이는 가족, 지역, 세계의 여러 모습, 공동체가 허용하거나 지향하는 문화, 공동체가 반대하는 문화가 무엇인지 익혀야 한다. 셋째는 학습하는 방법을 배워야 한다. 보통은 무엇인가를 배워보면 배우는 방법을 자연스럽게 익힐 수 있다고 생각하지만 그렇지 않다. 과목이나 분야마다 익혀야 할 학습법이 별도로 존재하는데 그것을 학교에서 잘 다루지 않는다.

다음으로 어떤 방식으로 배워야 할까? 물론 교사와 학생이라는 역할이 따로 있기는 하지만 가르치고 배우는 관계는 고정이라기보다는 유동적이다. 주로 교사가 가르치는 역할을 하지만 때로는 학생이 가르치고 교사가 배우기도 한다. 학생끼리 가르치고 배우기도 한다. 배우는 방식은 간접적으로 경험을 전달받거나 직접 경험하면서 배우는 방식이 있다. 모든 것을 직접 경험하면서 배우면 좋겠지만 시간과 재정의 한계가 있기 때문에 직접 배우는 것은 제한적일 수밖에 없다. 학교에서 배우는 방식은 이런 이유로 간접적으로 배우는 것이 많다.

배움의 확장

학교 교육은 학생이 학교를 졸업하고 난 뒤에 사회의 일원으로 살아갈 시점에 필요하다고 생각되는 것들을 뽑아서 교육과정 속에 욱여넣는다. 그런데 생각해 보면 학교에서 배운 것들이 잘 기억나지 않고, 무엇을 배웠는지도 모를 때가 많다. 학교 교육의 본질은 배움의 확장에 있다. 자신을 중심으로 교사와 학생과의 관계를 형성하면서 점점 더 넓은 방향으로 공동체에 참가한다. 실질적인 문제를 해결하면서 배움을 확장해 나간다. 학생의 삶과 직결되는 문제에서 시작해서 동심원을 넓혀나가야 한다.

교사로 가르치고 싶은 가치는 무엇인가?

정체성

정체성은 자신이 누구인지 알아가는 것이다. 교사는 교실에서 학생에게 개인 고유의 정체성과 공동체의 실천을 조

화시키는 능력을 키워주어야 한다. 정체성은 혼자일 때도 알아갈 수 있지만 다른 사람과의 상호작용을 할 때 도드라지게 나타난다. 정체성은 개인이 어떻게 공동체와 연결되어 있는지를 보여주는 일종의 축과 같다. 정체성을 분석할 때 개인으로 할지 공동체로 할지를 고민하는 것은 이분법적인 발상에서 비롯된 것이다. 정체성을 제대로 이해하기 위해서는 개인과 공동체를 구분하기보다는 어떻게 서로를 구성하는지, 개인과 공동체의 상호작용에 초점을 맞추어야 한다. 만약 개인을 공동체의 일원으로 일반화하게 되면 정체성이 지닌 복잡성과 생생함에 대해 간과하는 것이다. 개인은 특정한 공동체 속해 있으며 그 공동체에서 하는 고유한 실천을 경험하면서 자신만의 고유한 정체성을 형성하는 것이다.

기본습관

내가 가르치는 일 년 동안 학생에게 키워주고 싶은 것은 기본 습관이다. 첫째, 감사하는 습관이다. 감사는 지금의 내가 있기까지는 많은 사람의 수고와 노력이 있었다는 것을 기억하고 표현하는 행위이다. 당연한 것은 하나도 없다. 나를 위해 수고해 준 크고 작은 일에 고마움을 표현하는 습관을 길러 주고 싶다. 둘째, 정리하는 습관이다. 사용한 물건을 제자리에 두는 작은 일부터 시작한다. 아침이면 하루를 계획하고 잠자리에 들기 전에는 하루를 돌아보면 감사하고 반성한다. 셋째, 운동하는 습관이다. 가능하다면 매일 10분이라도 학생들과 함께 운동하는 습관을 들이려고 애쓴다. 건강한 몸에 건강한 정신이 깃든다는 말처럼 몸은 바른 자세로 근육을 바르게 사용해야 건강한 몸을 유지할 수 있다. 넷째, 책 읽는 습관이다. 좋은 책을 찾아 함께 읽고 자유롭게 생각을 표현하고 토론하는 습관을 지니도록 지도한다. 다섯째, 글을 쓰는 습관이다. 앞서 이야기한 정체성을 찾아가는 중요한 방법의 하나이다. 내가 누구인지, 공동체는 어떤 방향으로 가고 있는지, 나는 어떤 선택을 할 것인지를 글로 쓰고 나누는 것을 습관으로 가질 수 있도록 지도한다.

홀로 돌봄과 함께 돌봄

먼저 스스로 돌보는 방법을 익혀야 한다. 사람은 누구나 혼자서 자기 자신을 돌볼 수 있어야 한다. 자신을 돌보지 못하면 의존적일 수밖에 없다. 독립하기 어렵다. 몸이 아프면 쉬거나 병원에 가거나 약을 먹어야 한다. 불안하거나 우울하거나 짜증 내는 것은 마음이 힘들 때 나타나는 증상이다. 그럴 때는 자신이 어떻게 그런 마음을 해소할 수 있는지 방법을 찾아야 한다. 좋아하는 사람을 만나 이야기를 나누어야 할지, 좋아하는 음악을 들어야 할지, 좋아하는 음식을 먹어야 할지, 운동을 해야 할지 말이다. 인간은 사회적 존재이기 때문에 공동체는 필수이다. 공동체가 필요한 이유는 서로를 돌보기 위해서다. 함께 돌봄을 경험할 수 있는 곳이 바로 공동체이다. 공동체에서 경쟁하고, 협력하고 서로 돌볼 때 개인은 정체성을 형성하며 성장한다. 홀로 돌봄과 함께 돌봄이 상호보완적으로 필요한 이유이다.

"인간은 사회적 존재이기 때문에
공동체는 필수이다.
공동체가 필요한 이유는
서로를 돌보기 위해서다.
함께 돌봄을 경험할 수 있는 곳이 바로
공동체이다."

미래교육은 없다

B

당신은 이 글의 저자인 동시에 독자입니다. 저자인 나와 독자인 나는 만날 때마다 새로운 이야기를 만들어 갑니다. 지금 이 글을 읽는 당신의 생각을 여기에 더해보세요. 그것은 내 손을 떠난 글에 새로운 생명과 생기를 불어넣는 일입니다.

미래교육은 없다

교사인 나를 둘러싼 환경은
어떠한가요?

우리 사회와 교육이 가지길 바라는
모습을, 나의 차원에서 실현하기에
주변 환경이 어떠한지 살펴봅니다.
자신의 교육철학을 이루기에
도움이 되는 환경과 제약이 되는
환경을 짚어봅니다.

교사는 무엇이 힘든가

대화한 날_ 2023. 11. 8.

완성한 날_ 2023. 11. 29.

교사는 무엇이 힘든가

교사는 무엇이 힘든가

흰 나비는 도무지 바다가 무섭지 않다

여는 글에서 만난 김기림 시인의 [바다와 나비]라는 짧은 시의 한 시구가 어쩜 교사의 삶을 잘 대변하는지 놀랍다. 어떤 교사도 교사의 삶이 어느 정도의 깊이인지 모르고 뛰어든다. 바다를 청 무우 밭으로 오해하고 뛰어들었다가 날개는 소금물에 절어서 한동안 고생을 한다. 초임 교사 시절을 생각나게 하는 시구이다. 그렇다면 이제 30년이 지난 지금은 괜찮은가? 어느 정도 나아진 것은 사실이지만 그렇다고 대답하기도 쉽지 않다.

왜 그랬을까

되돌아보면 초임 때는 뭐가 뭔지도 모르고 모든 일이 어렵게만 느껴졌다. 몰라서 힘들었고 어설프니 더 긴장했다. 바다의 깊이를 얕잡아 보기도 했고, 큰 파도에 부딪혀 온몸에 멍이 들기도 했다. 교사의 삶은 미리 배울 수 있는 성질의 것이 아니다. 교직 문화는 경직되어 있었고 민주적이지도 않았다. 단순노동은 몇 달이면 익숙해진다. 변호사나 의사 같은 전문직도 처음 3년 정도 수련 기간이 지나면 어느 정도 초보의 티는 벗는다. 그러나 교사는 다른 전문직과 다르다. 해마다 다른 아이들을 만나야 하고, 하나하나가 우주 같은 존재다. 1년을 단위로 만나고 헤어지는데 어찌 익숙해지고 쉬워질 수 있겠는가? 불가능하다.

교사 직무에 대한 이해

초등교사로서 교실에서 가장 힘들었던 것은 무엇인가를 생각해 보면 교사의 자존감을 지키는 것이었다. 다른 반 교실은 평화롭고 즐겁게 잘 운영되는 것 같은데 우리 반은 그렇지 못하다고 생각될 때, 다른 반 친구들은 성적이 좋은데 우리 반은 성적이 떨어질 때, 교사는 내가 부족해서 또는 잘못해서 그렇다는 생각을 가지기 쉽다. 물론 그럴 수 있다. 경력이 얼마 되지 않을 때는 수업 기술도 미숙하고, 아이들에 대한 이해도 부족할 수 있다. 그렇다면 경력이 10년이 지나고 20년이 지나도 어렵게 느껴지는 것은 왜일까? 어떤 지점에서 교직이 어려운 것일까? 이점에 대해 생각해 봐야 한다.

다른 전문직과의 비교

의사나 변호사 같은 다른 전문직과 비교해 보았을 때 가장 다른 점은 환자 또는 고객과 일대일로 일하는 것이다. 의사의 경우 한 환자를 치료하고 다른 환자를 치료한다. 또한 보조 인력이 있다. 간호사 또는 간호조무사가 있어서 의사의 직무를 보조한다. 또한 처방전을 쓰면 약사가 약을 짓는다. 정리하면 대상과 일대일로 일하고, 보조 인력이 있으며, 다른 전문직과 협업을 한다. 반면, 교사는 교실에서 유일한 성인일 때가 많다. 즉, 혼자 일할 때가 많다. 교실에는 보통 20명 이상의 학생이 있지만 보조 인력이 없다. 교사는 일제식 강의를 하든, 모둠별 학습을 하든 동시다발적으로 진행한다. 학생의 출발점은 균일하지도 않고 다양하다. 학습적인 면에서도 그렇고, 생활적인 면에서도 그렇다. 학생은 미성숙하며 다양한 욕구와 필요가 있다. 교사의 역할 중 가장 힘든 것은 미성숙한 학생을 훈련하고 학생 간의 관계에서 일어나는 다양한 욕구를 조정하고 중재하는 역할이다. 이런 일은 정답이 있다기보다는 경험과 지혜로 해결해야 하는 성격의 일이다. 그렇기 때문에 분명한 한계가 따른다.

훈육의 문제

학생은 자발적으로 학습할 준비가 되어있고, 학생 간의 갈등이나 문제를 자율적으로 해결할 준비가 되어있지 않다. 이런 일은 단번에 해결되는 일이 아니다. 반복적인 훈련의 시간이 필요하다. 설령 훈련을 잘한다고 하더라도 꼭 훈련한 대로 잘 지켜지는 성격의 일이 아니다. 교사들은 매일 일어날 갈등이나 문제를 예상하고 학생들과 그 일에 대해 의논하고 준비한다. 그런데도 학생들은 자유의지를 가지고 있고, 자기 욕구를 조절하기 힘들기 때문에 훈육의 문제가 생긴다. 교사의 가장 힘든 일이 훈육이라 할 수 있다. 예전 교실에서는 교사의 권위로 엄격하게 훈육했기 때문에 어느 정도 학생이 자신의 욕구를 조정했다. 학부모도 교사에 대한 신뢰가 높았기 때문에 문제 삼지 않는 경우가 많았다. 하지만 요즘은 교사가 엄격하게 훈육하기도 어려운 상황이다. 아동학대처벌법이 강화되면서 체벌은 불가능하고 말로 훈육하는 것조차 정서적 학대로 고소당하는 사례가 늘어나고 있다.

아슬아슬한 줄타기

교사는 가르치고 싶다. 그런데 교사는 가르침으로 나아가기도 전에 무너져 내리고 있다. 교사가 지도나 훈육의 행위를 할 때, 고소당하지 않기 위해 자기검열을 할 수밖에 없다. 요

즘 교사들은 생활지도를 할 때 갈등이나 분쟁이 생기면 웬만하면 그냥 넘어간다. 지도하더라도 최소한의 지도를 한다. 문제 상황이 발생하면 규정에 있는 대로 대처한다. 교사의 입장에서 보면 고소와 무책임 사이에서 아슬아슬한 줄타기를 하게 된다. 더 개입하면 고소를 당하게 될까 두렵다. 개입하지 않으면 교사가 한 게 뭐냐는 비난을 받는다. 이런 상황이니 교사는 꼼짝달싹하지 못해 무기력하고 우울하다. 그렇다고 여기에 머물러 있을 수만은 없다. 지금 학교 상황은 과도기적 현상이다. 90년대 김지영 세대가 2020년 학부모가 되면서 심화하여 나타나는 현상이다. 그들도 힘들게 살아냈다. 교사에 대한 요구가 지나치다.

정당한 지도

가정과 학교에서 훈육의 책임과 범위가 어느정도 합의가 이루어져야 할 것이다. 교사는 종일 아이들과 함께 교실이라는 좁은 공간에서 긴 시간 생활한다. 대부분의 시간은 수업으로 채워져 있다. 수업에 대한 방해, 또는 학생간의 문제나 갈등에 대한 어느 정도의 사회적 합의가 이루어져야 한다. 학교에서 사안이 발생하면 교사는 수사관, 검사, 변호사, 판사의 역할을 한다. 교사는 아이들 옆에 오랜 시간 자료를 수집하고 있기 때문에 가장 객관적으로 이해한다. 그런데 문제가 생기면 교사는 가해 학생과 피해 학생 양쪽 부모에게 비난을 받는다. 한쪽 편을 들수 없기 때문이다. 왜 내 편을 들어주지 않느냐, 라며 비난하거나 교사가 부당한 지도를 했기 때문에 교사를 고소하는 것은 멈추어야 한다. 교사가 정당한 지도를 할 수 있는 방안을 마련해야 한다.

서이초 사태

2023년 어느날 서울 서이초의 신규 선생님이 학교에서 극단적인 선택을 했다. 정말 안타까운 일이다. 교실의 한 단면을 보여주었다. 많은 교사들이 분노했고, 거리로 나왔다. 토요일마다 억울한 죽음에 대한 진실을 규명해 달라고 집회를 했다. 그 숫자는 점점 늘어나더니 선생님의 49제를 즈음한 2023년 9월 4일 공교육 멈춤 집회에서는 30만의 교사들이 모였다. 단일 직군 최대 규모였다고 한다. 교육부 장관은 예상대로 징계와 고발을 하겠다며 으름장을 놓았다. 교사들은 굴하지 않고 모였다. 교사들이 이렇게 많이 모인 것을 두고 다양한 해석이 있지만 그만큼 학교 현장이 심각하다는 반증이다. 교육 4법은 신속하게 개정되고 있는 중이다. 그러나 여전히 문제가 되는 아동학대처벌에 관한 특례법과 아동복지법은 그대로이다. 분명 아동학대처벌법은 졸속으로 급하게 만들어졌기 때문에 비미점이 드러났다. 의심만으로 신고할 수 있고, 신고하면 즉시 업무에서 배제되고 조사를 받아야 하는 현재의 상황이라면 교사는 법의 사각지대에 놓여 희생당할 수밖에 없다. 학교 현장에서 교사들이 안심하고 지도할 수 있도록 개정되어야한다.

교사는 무엇이 힘든가

무엇이 중요한가

교육은 만병통치가 아니야

오늘날 학교 상황이 황폐하게 된 데에는 많은 원인이 있다. 그중에서도 학교를, 사회문제를 해결하는 손쉬운 해결책으로 보는 관점을 멈추어야 한다. 세월호 사건이 일어난 후에는 학교의 안전교육이 강화되었고, 생존수영이 교육과정으로 들어왔다. 사회에서 영어가 중요해지면 초등학교에 영어가 교과로 들어온다. 컴퓨터가 중요해지면 컴퓨터가 교과로 들어온다. 이런 식이다. 시간은 한정되어 있는데 뭔가 새로운 문제, 이슈가 생기면 학교는 각종 이권의 각축장이 되어버린다. 학교는 이렇게 사회의 영향력에 희생된다. 이런 문제를 방지하기 위해 학교장은 교육과정 편성권을 가져야 한다. 위로부터 무조건 받는 것이 아니라 거부할 수 있는 권한을 가져야 한다. 학교 교육과정에 파고든 곁가지를 제거해야 한다. 모든 것이 다 필요하고 좋다면 아무것도 하지 않는 것과 같은 결과를 가져올 것이다.

적정 학습

적정기술이란 용어처럼 어린이의 학습도 적정하게 제한해야 한다. 무조건 빠르고 많아야 좋은 것은 아니다. 성장단계에 따라 몸, 정신, 지력이 발전되는 적기와 적정량이 있다. 학생들에게 과도한 부담을 주어서는 안 된다. 한국의 경우 지나친 경쟁 속에 밀어 넣는 경향이 있다. 유치원부터 영어 유치원을 보내고, 초등학교부터 선행학습을 시킨다. 어린이는 일정 시간 자유롭게 놀 수 있는 권리를 보장해야 한다. 자기 선택 및 자기 결정을 할 수 있는 경험은 어릴 때부터 경험해야 한다. 어린이는 부모의 불안이나 두려움을 해결하기 위해 희생시킬 수 있는 존재가 아니다. 선행학습 금지법처럼 공립학교뿐 아니라 학원 등에서도 엄격하게 제한해야 한다. 어린이 노동력을 착취하는 것을 금지하는 것처럼 어린이에게 과도한 학습 부담을 지우는 것도 금지해야 한다.

교사의 한계 인정하기

앞에서도 언급했지만, 교사의 책임도 명확해야 한다. 주어진 권한만큼, 그리고 실제로 할 수 있는 만큼 해야 한다. 무한 책임을 지려는 것은 욕심임을 인정하자. 교사 스스로 자신의 한계를 파악하고 그 안에서 가르쳐야 한다. 학교를 벗어난 체험학습이나 현장학습은 가정으로 돌려보내자. 예전보다 휴일이나 방학도 길어졌다. 자녀도 적게 낳는다. 예전에는 학교 아니면 체험학습이나 현장학습의 기회가 적은 경우가 있었지만, 지금은 상황이 많이 변했다. 이처럼 학교에서 책임져야 할 것과 가정에서 책임져야 할 것에 대해 또는 가정과 학교가 협력해야 할 것에 대해 항목별로 논의하고 합의해야 한다.

다른 전문가와 협력하기

학급당 학생 수는 20명 이내로 줄어야겠지만 학습 장애, 과잉행동, 충동장애 등을 전담하는 특수교사, 상담사 및 전문가가 학교에 상주해야 한다. 모든 문제를 담임교사가 담당하는 것은 시대의 흐름에 역행한다. 다른 전문직처럼 역할을 좀 더 세분화하고 협력할 수 있는 체제를 마련되어야 한다. 학교는 다음 세대를 길러내는 커뮤니티로서 다양한 전문가들이 협력하여 문제를 해결하는 장소가 되어야 한다.

자율성 확대

교직을 되돌아보니 동 학년이 중요했다. 동 학년에 마음이 맞는 선생님이 한 분이라도 있으면 족했다. 업무가 많아도, 고학년이어도, 저학년이어도 견딜만했다. 경력이 어느 정도가 되어 학년 부장을 하게 되었을 때는 동 학년 선생님들과 친해지는 일부터 했다. 서로 친해져야 일하기도 수월했다. 무엇을 힘들어하는지, 무엇을 하고 싶은지를 나누고 일 년 계획을 세웠다. 자유롭게 하고 싶은 일을 나누면서 역할을 분담하고 수업을 재구성해서 만들어서 진행했을 때 성취감이 있었다. 다른 무엇인가에 의지하는 수업이 아니라 오롯이 내가 만들어 낸 수업일 때 힘이 있었다. 수업의 재미를 느꼈다고나 할까.

교사는 무엇이 힘든가

"해마다 다른 아이들을

만나야 하고,

하나하나가 우주 같은 존재다.

1년을 단위로 만나고 헤어지는데

어찌 익숙해지고 쉬워질 수

있겠는가?"

당신은 이 글의 저자인 동시에 독자입니다. 저자인 나와 독자인 나는 만날 때마다 새로운 이야기를 만들어 갑니다. 지금 이 글을 읽는 당신의 생각을 여기에 더해보세요. 그것은 내 손을 떠난 글에 새로운 생명과 생기를 불어넣는 일입니다.

교사는 무엇이 힘든가

교사는 무엇이 힘든가

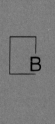

교사로서 우리의 이야기를
어떻게 써 내려갈까요?

우리를 둘러싼 환경을
고려하였을 때, 자신의 교육철학을
실현하기 위해 집중할 일 혹은
해결할 문제를 찾아봅니다.

교사,
교육에 관한 이야기를
만드는 사람

대화한 날_ 2023. 11. 15.

완성한 날_ 2023. 11. 29.

교사, 교육에 관한 이야기를 만드는 사람

교사, 교육에 관한 이야기를 만드는 사람

교실에서 누구보다 많은 고통을 겪었다고 생각한다. 나는 왜 학급관리를 잘 못할까? 나는 왜 가르치는 일에 만족도가 낮을까? 왜 가르치기가 어려울까? 10년 차 무렵까지 나에게 맞지 않는 옷을 입은 것처럼 교직이 내게는 불편했다. 그래서 늘 다른 직업을 꿈꾸곤 했다. 그러다 어느 순간 교사의 역할을 분명히 확인했고, 교직에서 의미와 재미를 찾기 시작했다. 나의 교직 이야기를 정리해 보았다.

고통: 환상에서 실재로

교대를 졸업한 직후 나는 멋진 학교생활이 꿈꾸었다. 그러나 그것은 착각이었다. 나의 시행착오의 연속이었다. 93년 5월에 발령받았는데, 첫해에는 4학년 음악 전담을 했다. 그 해는 그럭저럭 무탈하게 넘어갔다. 이듬해 3학년 담임을 했다. 나는 정말 무엇을 어떤 순서로 해야 할지 몰랐다. 매번 학년 회의 때마다 질문을 많이 했다. 수시로 학년 부장 선생님 교실을 참관하거나 동료 선생님들에게 도움을 청했다. 교실은 무질서했고, 교실 정리 정돈은 늘 안 되어 있었고, 수업은 늘 우왕좌왕이었다.

그때는 내가 어떤 문제를 가졌는지 몰랐었다. 한참 시간이 흐르고서야 깨닫게 되었다. 나는 교실에 대한 잘못된 환상을 가지고 있었다. 왜 아이들이 내 말에 집중하지 않는지, 말을 듣지 않는지를 몰랐다. 그저 선생님이 말하면 아이들은 들을 거로 생각했다. 다시 말해 나는 아이들을 정확하게 모르고 있었다. 두 번째 내가 무엇을 어떤 순서로 해야 하는지 모르고 있었다. 한 번도 그런 실재적인 것은 제대로 배워본 적이 없었다. 그때 나는 아무런 준비 없이 전쟁터에 보내진 것 같은 느낌이었다.

첫 발령을 받았을 때 운 좋게도 4학년 부장 선생님의 교실에서 두세 달을 참관할 수 있었다. 그때 그 노련하신 부장 선생님께서 교실에서 어떻게 가르치는지, 어떻게 대처하시는지를 배울 수 있었다. 참 따뜻하셨고, 아이들을 사랑하는 분이었다. 그러나 내가 다음 해에 3학년 담임으로 아이들을 가르치는 것은 그 정도의 참관으로 극복하기는 어려웠다. 초임 발령을 받았을 때는 혼자 자취를 했는데 혼자 생활하는 것도 버거웠다. 게다가 나의 업무는 육상부 담당, 방송 담당, 스카우트 보조였다. 왕초보, 얼치기 햇병아리 교사가 3월부터 육상부 지도를 아침에 1시간, 오후에 1시간을 지도하다 보니 늘 피곤했고, 교실은 엉망이었다.

생존: 교사 공동체

학교생활이 너무 어려워서 몇몇 젊은 교사끼리 모여서 이야기를 나누는 모임을 하였다. 그냥 모이는 것만으로도 의미가 있었다. 어려움을 함께 나누고, 경험, 정보 등을 함께 나누었다. 이 모임은 오랫동안 지속되었다. 그러나 뭔가 아쉬웠다. 그 이후에 함께 교육 철학책이나, 실용서를 구해서 함께 읽거나 서로 연수를 하기도 했다. 어느 정도 경력과 지식이 쌓이자, 교실은 안정을 찾아갔다. 그러나 시간이 지나도 어느 선에서 더 이상 나아지지 않았다. 다시 고민이 시작되었다. 무엇이 잘못된 것인가? 학교의 체제, 구조를 바꾸면 괜찮지 않을까도 생각해 보았다. 그러나 그런 것은 개인의 선에서 바꾸기 어려운 문제였다. 외국의 사례를 보면서 학생 수가 줄어들면 괜찮을까? 학교의 분위기, 환경이 바뀌어야 한다는 생각도 해 보았다. 한 차례 열린 수업 열풍이 학교를 휩쓸고 지나갔다. 교실 벽을 트고, 학습코너를 만들었다. 그러나 오래 지속되지 않았다. 어느 정도 힘이 생기자, 나의 교육철학은 무엇인지를 세워보고 그것을 학급에서 실현하기 위해 노력하기도 했다. 그 후에는 학교는 뭔가 바뀌어야 한다고 생각했다. 대학원을 진학하고 계속 공부를 했지만 뚜렷하게 손에 잡히는 것은 없었다. 교사는 자신의 이야기를 만들어 가야 한다. 그리고 이야기를 나눌 수 있는 공동체가 필요하다.

성장과 성숙: 교사실천공동체

나는 교사를 하기에 적절한 사람이 아니었다. 나는 교실에 있으면서 내가 오래 참았다고 생각했다. 그런데 어느 날부터 아이들이 나를 오래 참았다는 생각으로 바뀌었다. 그동안 교실이 불안했던 것은 내가 아이들을 정확히 이해하지 못했을 뿐 아니라 자신에 대한 오해 때문이었다는 것을 안 순간부터 나는 성장하기 시작했다. 교사는 세 부류로 나누어 생각해 볼 수 있다.

첫째, 교직이 천직인 교사, 둘째, 천직은 아니지만 끊임없이 노력하는 교사, 셋째, 교직을 수단으로 생각하는 교사다. 첫 번째 부류는 정말 학교에서 행복하게 지낸다. 무엇을 보아도, 무엇을 해도 그들의 관점은 학생들에 대한 관심과 사랑으로 흐른다. 자기 자신을 내어주며 가르친다. 두 번째 부류는 자신의 부족함을 깨닫고 부단히 노력한다.

늘 분투한다. 성공할 때도 있고 실패할 때도 있다. 학급을 잘 관리하고 가르치기 위해 최선을 다해 노력한다. 어느 순간 훌륭한 교사가 되어 있다. 우리가 아는 훌륭한 교사들은 대부분의 첫 번째 혹은 두 번째 부류에 속한다. 세 번째 부류에 속하는 교사는 아이들보다 자신의 영달에 목적이 있다. 그래서 최소한의 주의만 기울인다. 대부분의 관심은 다른 곳에 있다. 아이들을 희생시켜서 자신이 살고자 한다. 나는 한때 세 번째 부류였다가 두 번째 부류로 넘어왔다. 나는 절대로 첫 번째 부류의 교사는 아니다. 첫 번째 부류의 교사들이 꽤 있다. 그들은 자연스럽게 교사의 감각을 터득한다. 그러나 대부분 교사는 끊임없이 노력해야 한다. 우리가 대하는 아이들이 어떤 존재인지, 어떤 상황에 부닥쳐 있는지, 어떤 욕구를 가졌는지, 어떻게 그들을 이끌어야 하는지, 가르쳐야 하는지, 나는 어떤 존재인지, 나의 욕구는 무엇인지, 끊임없이 자신을 탐구하고 돌볼 줄 알아야 한다. 그리고 아이들과 함께 배울 수 있어야 한다.

교사, 교육에 관한 이야기를 만드는 사람

나는 여러 면에서 교사로서 늦되고 어려움을 많이 겪었기 때문에 나와 같은 교사들에 대해 더 아픈 마음이 있는지도 모르겠다. 자신이 성장하고 성숙하기 위해, 주변의 교사들을 돕기 위해 함께 연대하자. 교사실천공동체를 시작할 수 있다. 나의 이야기와 우리들의 이야기를 함께 만들어 갈 수 있다. 재정과 시간, 그리고 열정을 모은다면 우리의 교육 풍토를 바꿀 수 있다. 학급, 학교에서의 시급한 문제들을 함께 찾고, 연구하고, 해결해 나간다면 얼마나 의미가 있는 일인가? 가슴 뛰는 일이지 않은가? 그것이 아무리 작아 보이는 일이라도, 분명 연구가 쌓이고, 글이 쌓이고, 실천이 쌓인다면 나비효과를 일으킬 것이다. 나에게 교육실천이음연구소가 바로 그런 곳이다.

"자신이 성장하고 성숙하기 위해,
주변의 교사들을 돕기 위해
함께 연대하자.
교사실천공동체를 시작할 수 있다.
나와 우리들의 이야기를
함께 만들어 갈 수 있다."

교사, 교육에 관한 이야기를 만드는 사람

B

당신은 이 글의 저자인 동시에 독자입니다. 저자인 나와 독자인 나는 만날 때마다 새로운 이야기를 만들어 갑니다. 지금 이 글을 읽는 당신의 생각을 여기에 더해보세요. 그것은 내 손을 떠난 글에 새로운 생명과 생기를 불어넣는 일입니다.

교사, 교육에 관한 이야기를 만드는 사람

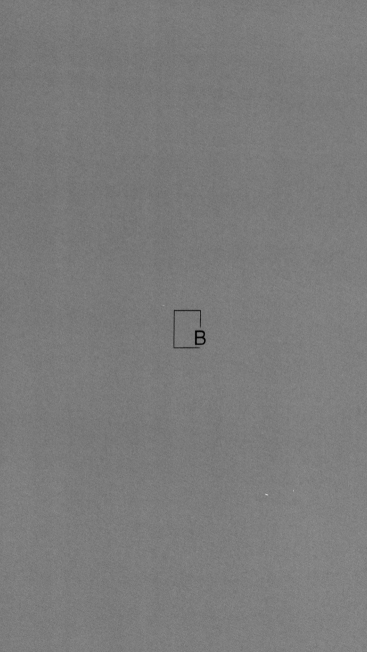
B

나의 교사 분투기: 환상 생존 성장

저자_ 이상수
발행_ 2023. 12. 25.

펴낸이_ 이상수
펴낸곳_ beside books
출판사등록_ 제561-2022-000043호(2022. 5. 17.)
주소_ 경기도 수원시 영통구 영통로200번길 21
전화_ 010-2853-2423
인스타그램_ instagram.com/beside.books
편집 / 디자인_ 서현지 이경준 정휘범

ISBN_ 979-11-92865-18-8

B